D1482654

Chimamanda Ngozi Adichie

# Nous sommes tous des féministes

suivi de

## Les marieuses

*Traduit de l'anglais (Nigeria)*
*par Sylvie Schneiter et Mona de Pracontal*

Gallimard

Née en 1977, Chimamanda Ngozi Adichie partage sa vie entre Chicago et Lagos, au Nigeria, son pays natal. Son premier roman, *L'hibiscus pourpre*, a été sélectionné pour l'Orange Prize et le Booker Prize. Lauréate de l'Orange Prize pour son roman *L'autre moitié du soleil*, publié par les Éditions Gallimard, elle est aussi l'auteur d'un recueil de nouvelles, *Autour de ton cou*. Son dernier roman, *Americanah* (Éditions Gallimard, Du monde entier, 2015), a été élu meilleur livre de l'année 2013 par de grands journaux américains (*New York Times, Washington Post, Chicago Tribune*). Son œuvre est à ce jour traduite dans trente langues.

*Découvrez, lisez ou relisez les livres de Chimamanda Ngozi Adichie en Folio :*

L'AUTRE MOITIÉ DU SOLEIL (Folio n° 5093)

AUTOUR DE TON COU ( Folio n° 5863)

# NOUS SOMMES TOUS DES FÉMINISTES

*Introduction*

Ce texte est une version modifiée d'une conférence que j'ai donnée en décembre 2012 au TEDxEuston, un colloque annuel consacré à l'Afrique. Des orateurs de différents domaines font de courts exposés destinés à provoquer et stimuler les Africains et les amis de l'Afrique. Lors d'un précédent colloque TED, j'avais donné une conférence sur le danger de la pensée unique, intitulée « The Danger of the Single Story », et sur la façon dont les stéréotypes appauvrissent et limitent nos idées, notamment à propos de l'Afrique. Il me semble que le terme de *féminisme* – que le concept même de féminisme – est lui aussi limité par les stéréotypes. Quand mon frère Chuck et Ike, mon meilleur ami, tous deux organisateurs du

TEDxEuston, ont insisté pour que je participe à celui-ci, je n'ai pas pu refuser. Et j'ai décidé de parler du féminisme, un sujet qui me touche particulièrement. Quels que soient mes doutes quant à l'intérêt qu'il susciterait, j'espérais initier une discussion ô combien nécessaire. Aussi, sur l'estrade ce soir-là, ai-je eu le sentiment d'être en présence d'une famille – un public bienveillant et attentif mais susceptible d'être récalcitrant. À la fin de ma conférence, les acclamations m'ont donné énormément d'espoir.

*Nous sommes tous
des féministes*

Okoloma était l'un de mes meilleurs amis d'enfance. Il habitait ma rue et veillait sur moi à la manière d'un grand frère : si un garçon me plaisait, je demandais à Okoloma son avis. Okoloma était drôle et intelligent, il portait des santiags aux bouts pointus. Il est mort en décembre 2005 : son avion s'est écrasé au sud du Nigeria. J'ai encore du mal à trouver les mots pour exprimer ce que j'ai ressenti. Avec Okoloma, je pouvais débattre, rire et dire le fond de ma pensée. C'est aussi la première personne à m'avoir qualifiée de féministe.

J'avais environ quatorze ans. Nous étions chez lui, nous polémiquions, rivalisant de connaissances plus ou moins assimilées glanées dans nos lectures. Le sujet de la polémique m'échappe aujourd'hui, mais je me souviens du regard d'Okoloma tandis que j'affûtais mes arguments et de sa remarque : « Tu es une féministe, tu sais. »

À en juger par son ton – celui qu'on emploierait pour accuser une personne de soutenir le terrorisme –, ce n'était pas un compliment.

Je n'avais qu'une vague idée de ce que signifiait le mot féministe. Et je ne voulais surtout pas qu'Okoloma le sache. Du coup, je ne me suis pas appesantie et j'ai continué à débattre, non sans me promettre de chercher le mot dans le dictionnaire dès mon retour à la maison.

Un bond dans le temps.

En 2003, j'ai écrit un roman, *L'hibiscus pourpre*, dont l'un des personnages est un homme qui, entre autres, bat sa femme et dont l'histoire se termine plutôt mal. Alors que j'assurais la promotion du livre au Nigeria, un journaliste charmant et plein de bonnes intentions m'a dit qu'il souhaitait me donner un conseil. (Les Nigérians, vous le savez peut-être, sont prompts à prodiguer des conseils non sollicités.)

D'après lui, les gens trouvaient mon roman féministe et il me recommandait – en secouant la tête, l'air attristé – d'éviter à tout prix de me présenter de la sorte car les féministes sont malheureuses, faute de trouver un mari.

Cela m'a incitée à me présenter comme une Féministe Heureuse.

Puis une universitaire nigériane m'a expliqué que le féminisme ne faisait pas partie de notre culture, que le féminisme n'était pas africain, et que c'était sous l'influence des livres occidentaux que je me présentais comme une féministe. (Ce qui m'a amusée, vu que l'essentiel de mes lectures de jeunesse n'avait rien de féministe : j'ai dû lire tous les romans à l'eau de rose de Mills&Boon avant l'âge de seize ans. D'ailleurs, chaque fois que j'essaie de lire ce qu'on appelle « les classiques du féminisme », je suis saisie d'ennui et ne les termine qu'à grand-peine.)

Quoi qu'il en soit, puisque le féminisme n'était pas africain, j'ai décidé de me présenter comme une Féministe Africaine Heureuse.

C'est alors qu'un de mes proches amis m'a fait remarquer que me présenter comme féministe était synonyme de haine des hommes. J'ai donc décidé d'être désormais une Féministe Africaine Heureuse qui ne déteste pas les hommes, qui aime mettre du brillant à lèvres et des talons hauts pour son plaisir, non pour séduire les hommes.

Trêve d'ironie, cela montre à quel point le terme *féministe* est chargé de connotations lourdes et négatives.

On déteste les hommes, on déteste les soutiens-gorge, on déteste la culture africaine, on estime que les femmes devraient toujours être aux manettes, on ne se maquille pas, on ne s'épile pas, on est toujours en colère, on n'a aucun sens de l'humour, on ne met pas de déodorant.

Voici une histoire de mon enfance :

Quand j'étais à l'école primaire, à Nsukka, une ville universitaire du sud-est du Nigeria, la maîtresse a annoncé au début du semestre qu'elle nous donnerait un devoir et que celui qui obtiendrait la meilleure note serait le chef de classe. Un rôle important. Non

seulement le chef de classe inscrivait quoti-
diennement le nom des élèves turbulents
– un pouvoir déjà grisant –, mais la maîtresse lui remettait une baguette à tenir à la
main lorsqu'il arpentait la salle de classe à
la recherche des élèves turbulents. Même
s'il était, bien sûr, interdit de s'en servir,
c'était une perspective enthousiasmante
pour l'enfant de neuf ans que j'étais. J'avais
très envie d'être chef de classe. Et j'ai eu la
meilleure note.

Puis, à ma grande surprise, la maîtresse
a déclaré que le chef de classe devait être
un garçon. Persuadée que cela coulait de
source, elle avait oublié de nous le préciser.
C'était un garçon qui avait eu la meilleure
note après la mienne. Il serait donc le chef
de classe.

Le plus intéressant, c'est qu'il était adorable et doux de nature si bien que parcou-
rir la salle de classe, armé d'une baguette,
ne lui disait rien. Moi, en revanche, j'avais
cette ambition chevillée au corps.

Mais j'étais une fille et lui, un garçon. Il
est devenu chef de classe.

L'incident est resté gravé dans ma mémoire.

Si nous faisons sans arrêt la même chose, cela devient normal. Si nous voyons sans arrêt la même chose, cela devient normal. Si les chefs de classe ne sont que des garçons, nous finissons par penser, même inconsciemment, que c'est inévitable. Si nous ne voyons que des hommes occuper les postes de chef d'entreprise, nous en venons à trouver « naturel » que les hommes soient les seuls à être chefs d'entreprise.

Je commets souvent l'erreur de croire que ce qui est évident pour moi l'est aussi pour les autres. Ainsi, mon cher ami Louis, un homme aussi brillant que progressiste, me répétait lors de nos discussions : « Je ne comprends pas ce que tu veux dire quand tu affirmes que les choses sont différentes et plus pénibles pour les femmes. C'était peut-être le cas dans le passé, mais plus maintenant. Tout va bien pour les femmes désormais. » Je ne comprenais pas que Louis ne perçoive pas ce qui me paraissait évident. J'adore rentrer chez moi, au Nigeria, et je passe le plus clair de mon temps à Lagos, la plus grande ville et le centre commercial du pays. Le soir, quand la chaleur baisse et que l'activité frénétique ralentit, je vais parfois au restaurant ou au café avec des amis et des membres de ma famille. Un soir, Louis et moi étions sortis avec des amis.

Lagos se distingue par une caractéristique formidable : quelques jeunes gens entreprenants traînent devant certains établissements, offrant leurs services, non sans ostentation, pour vous « aider » à garer votre voiture. Lagos est une mégapole de presque vingt millions d'habitants plus effervescente que Londres, plus dynamique que New York, aussi les gens rivalisent-ils d'inventivité pour gagner leur vie. Comme dans la plupart des grandes villes, se garer à Lagos est une gageure, de sorte que ces jeunes gens vous proposent de chercher une place et – même quand il y en a une sous votre nez – de vous y piloter à grand renfort de gesticulations et de promesses de « surveiller » votre voiture jusqu'à votre retour. Ce soir-là, les simagrées de celui qui nous avait trouvé une place m'avaient beaucoup impressionnée. Si bien qu'au moment de notre départ j'ai décidé qu'il méritait un pourboire. J'ai ouvert mon sac et y ai plongé la main pour y prendre des pièces que je lui ai tendues. Il a accepté, enchanté et reconnaissant de ce que je lui donnais, mais c'est à Louis qu'il a lancé : « Merci, m'sieu ! »

Mon ami m'a jeté un regard étonné : « Pourquoi me remercie-t-il ? Ce n'est pas moi qui lui ai donné un pourboire. » L'instant d'après, j'ai vu à son expression qu'il avait compris. L'homme était convaincu que si j'avais de l'argent sur moi, il ne pouvait être qu'à Louis. Parce que Louis est un homme.

Les hommes et les femmes sont différents. Nous n'avons ni les mêmes hormones, ni les mêmes organes génitaux, ni les mêmes capacités biologiques – les femmes peuvent avoir des enfants, les hommes non. Les hommes sécrètent de la testostérone et sont en général plus forts physiquement que les femmes. Il y a un peu plus de femmes que d'hommes dans le monde – elles constituent cinquante-deux pour cent de la population mondiale –, pourtant les hommes occupent la plupart des postes importants ou prestigieux.

Feu Wangari Maathai, lauréate kényane du prix Nobel de la paix, l'a résumé par une formule aussi simple que percutante : « Plus on s'élève dans l'échelle sociale, moins il y a de femmes. »

Au cours des dernières élections américaines, on nous a rebattu les oreilles avec la loi Lilly Ledbetter[1]. Ne nous arrêtons pas à l'allitération plaisante du nom, car il s'agissait de ceci : aux États-Unis, un homme et une femme font le même métier, ont les mêmes qualifications, et l'homme est mieux payé parce que c'est un homme.

Ainsi, au sens propre du terme, les hommes dirigent le monde. Cela s'expliquait il y a un millier d'années parce que les êtres humains vivaient dans un environnement où la force physique était l'attribut essentiel pour la survie ; les plus vigoureux avaient le plus de chances d'être des meneurs. Et les hommes sont en général doués d'une force physique supérieure. (À de nombreuses exceptions près, bien entendu.) Le monde où nous

---

1. Loi votée par le Congrès en 2009 pour renforcer le droit des femmes et des minorités victimes de discrimination salariale. *(N.d.T.)*

vivons aujourd'hui est complètement différent. L'être le mieux qualifié pour diriger
n'est pas le plus fort physiquement. C'est le
plus intelligent, le plus cultivé, le plus créatif, le plus inventif. Les hormones ne jouent
aucun rôle dans ces qualités. Un homme
peut être, aussi bien qu'une femme, intelligent, cultivé, créatif, inventif. Nous avons
évolué. Nos idées sur la question du genre,
en revanche, n'ont pas beaucoup progressé.

Il y a peu de temps, je suis entrée dans
l'un des meilleurs hôtels du Nigeria et un
vigile s'est interposé et m'a soumise à un
interrogatoire exaspérant : Comment s'appelait la personne que j'allais voir ? Quel était
son numéro de chambre ? Est-ce que je la
connaissais ? Est-ce que je pouvais montrer
ma carte magnétique pour lui prouver que
j'étais une cliente ? Une femme qui entre
seule dans un hôtel est automatiquement
cataloguée comme travailleuse du sexe.
Parce qu'il impossible qu'une Nigériane
ait les moyens de s'offrir une chambre. On
ne harcèle pas un homme qui entre dans
le même hôtel. On part du principe qu'il a

le droit d'être là. (À propos, pourquoi ces hôtels ne s'intéressent-ils pas à la question de la *demande* de travailleuses du sexe plutôt qu'à l'*offre* ostensible ?)

À Lagos, je ne peux pas aller seule dans bon nombre de boîtes et de bars branchés. L'accès est interdit aux femmes non accompagnées d'un homme. Du coup, certains de mes amis qui arrivent devant ces établissements y entrent en donnant le bras à une parfaite inconnue qui n'a d'autre choix que de demander leur « aide » pour y entrer.

Chaque fois que je vais dans un restaurant nigérian avec un homme, le serveur salue l'homme et fait comme si je n'existais pas. Les serveurs sont les fruits d'une société qui leur a appris qu'un homme est plus important qu'une femme. Je sais qu'ils ne sont animés d'aucune mauvaise intention, mais avoir conscience d'une chose, ce n'est pas pareil que la ressentir. Quand un serveur m'ignore, j'ai l'impression d'être invisible. C'est insupportable. L'envie me tenaille de lui dire que j'appartiens autant à l'espèce humaine qu'un homme et que je suis aussi digne d'être prise en compte. Ce sont des petites choses mais, parfois, ce sont les plus blessantes.

Dernièrement, j'ai écrit un article sur le fait d'être une jeune fille à Lagos. Une de mes relations l'a trouvé trop violent et m'a dit que j'avais exagéré. Je n'ai éprouvé aucun regret. Bien sûr qu'il était violent. De nos jours, le déterminisme de genre est d'une injustice criante. Je suis en colère. Nous devrions tous être en colère. L'histoire de la colère comme matrice d'un changement positif est longue. Outre la colère, je ressens de l'espoir parce que je crois profondément en la perfectibilité de l'être humain.

Mais revenons à la colère. J'ai perçu une mise en garde dans le ton de mon interlocuteur et j'ai compris que sa remarque concernait autant mon caractère que l'article. Son ton signifiait que la colère sied vraiment mal aux femmes. Si vous êtes une femme, vous n'êtes pas censée exprimer votre colère parce qu'elle est menaçante. Une de mes amies américaines a remplacé un homme à un poste de cadre. Son prédécesseur était considéré comme un « battant plutôt dur » ; il ne mâchait pas ses mots, il était exigeant et particulièrement rigoureux en matière de feuilles de présence. Elle s'est lancée dans son nouveau travail en s'imaginant être tout aussi dure quoique peut-être plus gentille que lui – contrairement à elle, il n'avait pas toujours conscience que les gens avaient des familles. Au bout d'à peine quelques semaines, elle a réprimandé un employé qui avait trafiqué sa feuille de présence, exactement comme l'aurait fait son prédécesseur. L'employé s'est alors plaint de son attitude à la direction : c'était difficile de travailler avec mon amie, elle était agressive. D'autres employés abondèrent dans son sens. L'un spécifia qu'ils s'attendaient à ce qu'elle introduise une « touche féminine » dans son travail, mais que ça n'avait pas été le cas.

Aucun d'eux ne s'est rendu compte qu'un homme qui se serait comporté de la sorte aurait été félicité.

Une autre de mes amies américaines a un poste très bien payé dans la publicité. C'est une des deux femmes de son équipe. Lors d'une réunion, son patron n'avait pas tenu compte de ses observations puis avait complimenté un homme qui avait dit plus ou moins la même chose. Elle avait eu envie de hausser le ton pour demander à son patron de s'expliquer, mais elle ne l'avait pas fait. Au lieu de quoi, dès la fin de la réunion, elle s'était précipitée dans les toilettes où elle avait pleuré avant de m'appeler pour s'épancher. Elle avait gardé le silence parce qu'elle ne voulait pas avoir l'air agressive. Et elle avait rongé son frein.

Ce qui m'a frappée – tant chez elle que chez nombre d'amies américaines –, c'est leur souci d'être « aimées ». On les a élevées en leur donnant à croire que plaire est primordial, qu'il s'agit d'une caractéristique spécifique. Et que cela exclut l'expression de la colère, de l'agressivité ou d'un désaccord formulé avec trop de force.

Nous passons un temps fou à apprendre à nos filles à se préoccuper de l'opinion que les garçons ont d'elles. Mais le contraire n'est pas vrai. Nous n'apprenons pas à nos fils à se soucier d'être aimables. Nous passons un temps fou à répéter à nos filles qu'elles ne peuvent être en colère, ni agressives ni dures, ce qui est déjà assez grave en soi, sauf que nous prenons le contre-pied et félicitons ou excusons les garçons qui, eux, ne s'en privent pas. Dans le monde entier, il y a un nombre incroyable d'articles de magazines et de livres qui abreuvent les femmes de conseils sur ce qu'il faut faire, sur la façon d'être ou de ne pas être pour attirer les hommes ou leur plaire. On ne trouve pas, loin s'en faut, autant de guides de ce genre destinés aux hommes.

Une jeune fille qui participe à l'atelier d'écriture que j'anime à Lagos m'a confié qu'une de ses amies lui avait recommandé de ne pas écouter mon « discours féministe », sinon elle assimilerait des idées qui saperaient son mariage. Dans notre pays, on menace bien davantage une femme qu'un homme de cela – la ruine d'un mariage, l'éventualité de ne jamais se marier.

Partout dans le monde, la question du genre est cruciale. Alors j'aimerais aujourd'hui que nous nous mettions à rêver à un monde différent et à le préparer. Un monde plus équitable. Un monde où les hommes et les femmes seront plus heureux et plus honnêtes envers eux-mêmes. Et voici le point de départ : nous devons élever nos filles autrement. Nous devons élever nos fils autrement.

Notre façon d'éduquer les garçons les dessert énormément.

Nous réprimons leur humanité. Notre définition de la virilité est très restreinte. La virilité est une cage exiguë, rigide, et nous y enfermons les garçons.

Nous apprenons aux garçons à redouter la peur, la faiblesse, la vulnérabilité. Nous leur apprenons à dissimuler leur vrai moi, car ils sont obligés d'être, dans le parler nigérian, des *hommes durs*.

Au lycée, un garçon et une fille, adolescents, sortent avec peu d'argent de poche. Pourtant, c'est toujours le garçon qui doit régler l'addition pour prouver sa virilité. (Ce qui ne nous empêche pas de nous demander pourquoi les garçons ont davantage tendance à voler de l'argent à leurs parents.)

Et si nous inculquions aux garçons et aux filles qu'il ne faut pas faire de lien entre virilité et argent ? Et si l'idée n'était pas « c'est au garçon de payer » mais « c'est au plus riche de payer » ? Évidemment, du fait de leur supériorité historique, ce sont surtout les hommes qui sont les plus riches aujourd'hui. En revanche, si nous commençons à élever les enfants autrement, dans cinquante ans, dans cent ans, les garçons n'auront plus à prouver leur virilité par des moyens matériels.

Mais ce que nous faisons de pire aux hommes – en les convainquant que la dureté est une obligation –, c'est de les laisser avec un ego très fragile. Plus un homme se sent contraint d'être dur, plus son ego est faible.

Quant aux filles, nos torts envers elles sont encore plus graves, parce que nous les élevons de façon qu'elles ménagent l'ego fragile des hommes.

Nous apprenons aux filles à se diminuer, à se sous-estimer.

Nous leur disons : Tu peux être ambitieuse, mais pas trop. Tu dois viser la réussite sans qu'elle soit trop spectaculaire, sinon tu seras une menace pour les hommes. Si tu es le soutien de famille dans ton couple, feins de ne pas l'être, notamment en public, faute de quoi tu l'émasculeras.

Et si nous remettions en question ce principe lui-même ? Pourquoi faudrait-il que la réussite d'une femme soit une menace pour un homme ? Et si nous bannissions le mot *émasculation* de notre vocabulaire – je ne crois pas qu'il existe un mot que je déteste autant que celui-ci.

Une de mes relations nigérianes m'a demandé une fois si je ne craignais pas d'intimider les hommes.

Je ne le craignais absolument pas – ça ne m'était même jamais passé par la tête, étant donné qu'un homme que j'intimiderais serait précisément le genre d'homme qui ne m'intéresserait pas.

Cela ne m'en avait pas moins frappée. Comme je suis une fille, on s'attend à ce que j'aspire à me marier. On s'attend à ce que je fasse des choix en gardant toujours à l'esprit que le mariage est ce qu'il y a de plus important. Le mariage peut être une bonne chose, une source de bonheur, d'amour, d'entraide. Mais pourquoi apprenons-nous aux filles à y aspirer et non aux garçons ?

Je connais une Nigériane qui a vendu sa

maison de peur d'intimider un homme susceptible de l'épouser.

Je connais une célibataire nigériane qui, lorsqu'elle se rend à une conférence, porte une alliance parce qu'elle souhaite – selon ses propres termes – « inspirer du respect » à ses collègues.

Le plus triste, c'est qu'une alliance lui vaudra automatiquement le respect alors qu'elle n'aura droit qu'à du dédain si elle n'en porte pas – et il s'agit d'un lieu de travail moderne.

Je connais des jeunes filles qui subissent tant de pressions pour se marier – de leurs parents, de leurs amis ou même de leurs collègues – qu'elles en viennent à faire de très mauvais choix.

Notre société conditionne une femme à vivre comme un échec d'être toujours célibataire à un certain âge.

Tandis qu'un homme qui n'est toujours pas marié à un certain âge n'est tout bonnement pas parvenu à faire son choix.

Les femmes n'ont qu'à refuser cet état de fait – c'est facile à dire, mais la réalité est plus coriace et plus complexe. Nous

sommes des êtres sociaux. Nous intériori-
sons les idées de notre environnement.

Même le vocabulaire que nous employons
le démontre. Le vocabulaire du mariage est
souvent un vocabulaire de possession, non
un vocabulaire d'échange.

Nous employons le terme de *respect*
pour désigner ce qu'une femme témoigne
à un homme mais rarement pour ce qu'un
homme témoigne à une femme.

Pourtant, les hommes comme les femmes
affirmeront : « Je l'ai fait pour la paix du
ménage. »

Quand les hommes ont recours à cette
formule, c'est souvent pour quelque chose
qu'ils ne devraient pas faire. Quelque chose
qu'ils confient à leurs amis avec un sourire
agacé et qui est destiné, en fin de compte,
à prouver leur virilité : « Ça ne plaît pas à
ma femme que j'aille en boîte tous les soirs,
alors, pour la paix du ménage, je n'y vais
que le week-end. »

Quand les femmes disent : « Je l'ai fait
pour la paix du ménage », elles parlent d'or-
dinaire d'un travail auquel elles ont renoncé
ou d'un objectif professionnel ou d'un rêve.

Nous apprenons aux femmes que, dans le couple, c'est plutôt à elles de faire des concessions.

Nous apprenons à nos filles à considérer les autres filles comme des concurrentes, non dans le travail ou pour se réaliser – ce qui serait une bonne chose à mon avis – mais pour susciter l'intérêt des hommes.

Nous apprenons à nos filles que leur sexualité n'est pas comparable à celle des garçons. Si nous avons des fils, nous ne nous formalisons pas de les entendre évoquer leurs petites amies. Mais les petits amis de nos filles, Dieu nous en garde ! (Ce qui ne nous empêche pas d'attendre d'elles qu'elles ramènent, le moment venu, un mari idéal à la maison.)

Nous contrôlons nos filles. Nous portons aux nues leur virginité, mais nous ne portons pas aux nues celle des garçons (comment est-ce que c'est censé fonctionner, je me le demande, vu que la perte de virginité implique deux êtres de sexe opposé).

Dernièrement, une fille a été victime d'un viol collectif dans une université au Nigeria, et beaucoup de jeunes Nigérians, hommes et femmes, ont plus ou moins réagi comme suit : bien sûr, c'est mal de violer, mais qu'est-ce qu'elle faisait là, cette fille, dans une pièce avec quatre types ?

Oublions si c'est possible l'inhumanité atroce de cette réaction. En raison de leur éducation, les Nigérians sont convaincus de la culpabilité intrinsèque des femmes. Et on leur a appris à attendre si peu des autres hommes que leur comportement sauvage et leur manque de maîtrise d'eux-mêmes leur semble en quelque sorte acceptable.

Nous apprenons la honte à nos filles. *Croise les jambes. Couvre-toi.* Nous les persuadons qu'elles sont coupables simplement parce qu'elles sont de sexe féminin. Aussi, en grandissant, deviennent-elles des femmes incapables d'exprimer leur désir. Qui s'imposent le silence. Qui ne peuvent dire ce qu'elles pensent. Qui ont élevé la simulation au rang d'une forme d'art.

Je connais une femme qui déteste les travaux ménagers mais qui a feint le contraire pour prouver par son humilité, conformément à ce qu'on lui avait enseigné, qu'elle avait l'« étoffe d'une femme d'intérieur ».

Après quoi, elle s'est mariée. Et la famille de son mari lui a reproché d'avoir changé. Elle n'avait pas changé, elle en avait eu assez de jouer la comédie.

Le problème avec cette détermination sexuelle, c'est qu'elle vous dicte ce que vous devez être au lieu de prendre en compte qui vous êtes. Vous imaginez à quel point nous serions plus heureux, plus libres d'être nous-mêmes, sans le poids de ces conventions.

Les différences biologiques entre garçons et filles sont incontestables, mais la société les exacerbe. Et c'est le point de départ du processus qui s'auto-alimente. Prenez la cuisine, par exemple. De nos jours, ce sont surtout les femmes qui se chargent des tâches ménagères. Pourquoi ? Les femmes sont-elles nées avec le gène de la cuisine ou la société les a-t-elle conditionnées au fil des années à considérer que c'était leur rôle ? J'allais suggérer que les femmes sont peut-être effectivement nées avec le gène de la cuisine, puis je me suis souvenue que la plupart des cuisiniers célèbres du monde – ces

« chefs », pour reprendre le nom sophistiqué qu'on leur attribue – sont des hommes.

Il m'arrivait de regarder ma grand-mère, une femme d'une intelligence exception-nelle, et de me demander ce qu'elle serait devenue si elle avait eu les même possi-bilités qu'un homme dans sa jeunesse. Aujourd'hui, les femmes ont davantage de perspectives qu'à son époque. Et ce en rai-son de changements tant dans le domaine politique qu'en matière de lois, ce qui est important.

Mais notre attitude et notre mentalité le sont encore plus.

Et si, dans l'éducation que nous donnons à nos enfants, nous nous concentrions sur leurs aptitudes plutôt que sur leur sexe ? Sur leurs centres d'intérêt plutôt que sur leur sexe ?

Je connais une famille où il y a un fils et une fille. Ils ont un an de différence, ils sont tous les deux brillants à l'école. Quand le garçon a faim, les parents disent à leur fille d'aller préparer des nouilles instanta-nées *Indomie* pour son frère. La fille n'aime pas ça, mais c'est une fille alors elle n'a pas le choix. Et si les parents apprenaient dès le début à leurs deux enfants à préparer des nouilles *Indomie* ? D'autant que savoir cuisiner est une qualité fort utile pour un garçon – j'ai toujours estimé que ça n'avait pas de sens de confier quelque chose d'aussi vital, la capacité à se nourrir, aux autres.

Je connais une femme qui a le même diplôme et le même poste que son mari. À la fin d'une journée de travail, c'est elle qui assume presque toutes les corvées à la maison – ce qui est le cas dans la plupart des mariages. Ce qui m'a frappée, c'est que chaque fois qu'il changeait les couches du bébé, elle le remerciait. Et si elle trouvait normal et naturel qu'il s'occupe lui aussi de l'enfant ?

J'essaie de désapprendre nombre de leçons sur le genre que j'ai intériorisées en grandissant. Mais je reste vulnérable face au poids des conventions.

La première fois que j'ai animé un atelier d'écriture en troisième cycle, j'étais angoissée. Non à cause du matériel pédagogique

– j'étais bien préparée et ce que j'enseignais me passionnait –, mais à cause de ma tenue. Je tenais à être prise au sérieux.

Je savais qu'il me faudrait prouver ma compétence parce que j'étais une fille et j'avais peur de ne pas être prise au sérieux si j'étais trop féminine. Malgré mon envie de mettre du brillant à lèvres et une jupe à la mode, je ne l'avais pas fait. J'avais choisi un tailleur très austère, très masculin, très moche.

Le fond du problème, et c'est désolant, c'est qu'en matière d'apparence nous prenons les hommes comme référence. Beaucoup parmi nous sont persuadées que moins une femme est féminine, plus elle jouira de considération. L'idée que ce qu'il porte déterminera l'opinion qu'on a de lui n'effleure pas un homme qui se rend à une réunion professionnelle, alors qu'une femme se posera toujours la question.

Je regrette d'avoir porté cet horrible tailleur ce jour-là. Si j'avais eu autant confiance en moi que maintenant, mes étudiants auraient profité d'un meilleur enseignement. Parce que j'aurais été plus à l'aise, plus moi-même et plus vraie.

J'ai décidé de ne plus mettre un bémol à ma féminité. Et je veux qu'on me respecte en tant que femme. J'y ai droit. La politique et l'histoire m'intéressent, le débat d'idées me passionne, ce qui ne m'empêche pas d'être une fille. Et contente de l'être. J'adore me jucher sur des talons hauts ou essayer différents rouges à lèvres. Les compliments d'hommes et de femmes me font plaisir (par souci d'honnêteté, je reconnais préférer ceux des femmes élégantes), mais je m'habille souvent d'une façon qui indispose les hommes ou qu'ils ne « comprennent » pas. Je porte des vêtements qui me plaisent et dans lesquels je me sens bien. Le regard de l'homme en tant qu'arbitre de mes choix est essentiellement anecdotique.

Une conversation sur la question du genre n'est jamais facile. Cela gêne ou même agace les gens. Hommes et femmes sont tout aussi hostiles au sujet, quand ils ne s'empressent pas de récuser les problèmes de discrimination sexiste. Parce que la remise en cause d'un statu quo n'est jamais chose aisée.

Certains me demandent : « Pourquoi employer le mot *féministe* ? Pourquoi ne pas vous contenter de dire que vous croyez profondément aux droits de l'homme, ou quelque chose comme ça ? » Parce que ce serait malhonnête. Le féminisme fait à l'évidence partie intégrante des droits de l'homme, mais se limiter à cette vague expression des *droits de l'homme* serait nier le problème particulier du genre. Ce serait une manière d'affirmer que les femmes n'ont pas souffert d'exclusion pendant des siècles. Ce serait mettre en doute le fait que ce problème ne concerne que les femmes. Qu'il ne s'agit pas de la condition humaine mais de la condition féminine. Durant des siècles, on a séparé les être humains en deux groupes, dont l'un a subi l'exclusion et l'oppression. La solution à ce problème doit en tenir compte, ce n'est que justice.

Pour certains hommes, l'idée même du féminisme est une menace. À mon sens, c'est en raison d'un sentiment d'insécurité dû à leur éducation, de la façon dont ils se sentent amoindris s'ils ne sont pas « naturellement » aux commandes en tant qu'hommes.

D'autres hommes peuvent réagir en disant : « C'est intéressant, j'en conviens, mais ce n'est pas ma façon de penser. La question du genre, je ne me la pose jamais. »

Peut-être.

Et c'est un élément du problème. Que les hommes ne réfléchissent pas à cette question, n'en soient pas conscients. Qu'un grand nombre d'entre eux disent, à l'instar de mon ami Louis, que la situation des femmes était sans aucun doute désastreuse dans le passé, mais que tout va bien désormais. De sorte que beaucoup d'hommes ne font rien pour améliorer les choses. Si vous êtes un homme et que vous entrez dans un restaurant où le serveur vous salue, est-ce que cela vous viendra à l'esprit de lui demander : « Pourquoi ne l'avez-vous pas saluée ? » Il est impératif que les hommes réagissent face à tous ces faits flagrants de la vie quotidienne.

Comme la question du genre plonge dans l'embarras, il est facile de clore une conversation sur ce sujet.

Certains mettront en avant la biologie évolutive et les singes, la façon dont les femelles s'inclinent devant les mâles, etc. Sauf que nous ne sommes pas des singes. Les singes vivent dans les arbres et se nourrissent de vers de terre. Ce n'est pas notre cas.

D'autres diront : « Eh bien, les hommes pauvres souffrent également. » Sans aucun doute.

Mais ce n'est pas le sujet de la conversation. La question du genre se distingue de celle de la classe sociale. Quelle que soit leur pauvreté, les hommes ne perdent pas leurs privilèges d'hommes, quand bien même ils ne jouissent pas des privilèges procurés par la richesse. En discutant avec des Noirs, j'ai beaucoup appris sur les systèmes d'oppression et le fait que les uns ne prennent pas en compte les autres. Un jour où je parlais de la question du genre, un homme m'a lancé : « Pourquoi faut-il qu'il s'agisse de vous en tant que femme ? Pourquoi pas de vous en tant qu'être humain ? » Ce type de question est une façon de réduire au silence une personne et son expérience propre. Je suis un être humain, bien sûr, mais il m'arrive un certain nombre de choses en ce monde parce que je suis une femme. Soit dit en passant, cet homme ne se privait pas d'évoquer son expérience en tant que Noir. (J'aurais probablement dû réagir en lui demandant : « Pourquoi ne parlez-vous pas de votre expérience en tant qu'homme ou qu'être humain ? Pourquoi en tant que Noir ? »)

Donc, non, c'est une conversation sur la question du genre. Certains diront : « Voyons, ce sont les femmes qui ont le vrai pouvoir : le "*bottom power*".» (Une expression nigériane désignant une femme qui utilise sa sexualité pour manipuler un homme.) À ceci près que le "*bottom power*" n'a rien d'un pouvoir ; une femme qui en use n'est pas puissante, elle a simplement trouvé le bon moyen d'exploiter un homme de pouvoir. Qu'adviendra-t-il si l'homme est de mauvaise humeur, malade ou affligé d'une impuissance temporaire ?

D'autres diront que la femme est infé-
rieure à l'homme à cause de notre culture.
Mais la culture est en constante évolution.
J'ai deux ravissantes nièces, des jumelles de
quinze ans. Si elles étaient nées un siècle
plus tôt, on les aurait embarquées pour les
tuer parce que, à cette époque-là, la culture
ibo considérait la naissance de jumeaux
comme un mauvais présage. De nos jours,
c'est une coutume inconcevable pour les
Ibos.

Quel est le but de la culture ? En fin de
compte, elle est destinée à assurer la préser-
vation et la perpétuation d'un peuple. Dans
ma famille, je suis celle qui se passionne le
plus pour notre histoire, notre identité, la
terre de nos ancêtres, nos traditions. Mes
frères y sont indifférents. Mais je ne peux
participer à rien puisque la culture ibo pri-
vilégie les hommes et que seuls les hommes
de la famille élargie assistent aux conseils où
l'on prend des décisions primordiales pour
la famille. J'ai beau être la plus intéressée,
je suis exclue de ces conseils. Je n'ai pas
droit à la parole. Parce que je suis de sexe
féminin.

La culture ne crée pas les gens. Les gens créent la culture. S'il est vrai que notre culture ne reconnaît pas l'humanité pleine et entière des femmes, nous pouvons et devons l'y introduire.

Je pense très souvent à mon ami Okoloma. Puisse-t-il reposer en paix ainsi que les autres passagers qui ont perdu la vie dans cet accident de Sosoliso. Ceux qui l'ont aimé ne l'oublieront jamais. Okoloma avait raison de me qualifier de féministe ce jour-là, il y a bien longtemps. Je suis une féministe.

Et quand, il y a tant d'années, j'avais cherché le sens du mot dans le dictionnaire, j'avais lu : *Féministe : une personne qui croit à l'égalité sociale, politique et économique des sexes.*

D'après ce qu'on m'a raconté sur elle, mon arrière-grand-mère était féministe. Elle s'est enfuie de la maison de l'homme qu'elle ne voulait pas épouser et a épousé l'homme de son choix. Elle ne se laissait pas faire, elle protestait et élevait la voix si elle avait l'impression d'être spoliée au prétexte qu'elle était une femme. Ce n'est pas parce qu'elle ignorait le terme *féministe* qu'elle ne l'était pas. La plupart d'entre nous devraient revendiquer ce mot. Le féministe le plus fervent que je connaisse, c'est mon frère Kene, un jeune homme par ailleurs adorable, beau et très viril. Pour ma part, je considère comme féministe un homme ou une femme qui dit, oui, la question du genre telle qu'elle existe aujourd'hui pose problème et nous devons le régler, nous devons faire mieux. *Tous* autant que nous sommes, femmes et hommes.

# LES MARIEUSES

Mon mari tout neuf a sorti la valise du taxi et il est entré le premier dans le *brownstone*, me guidant par une volée de marches maussades puis le long d'un couloir sans air, à la moquette élimée, pour s'arrêter devant une porte. Le numéro 2B, en caractères de métal jaunâtre irréguliers, y était fixé.

« On est arrivés », a-t-il dit.

Il avait utilisé le mot « maison » pour me parler de notre futur foyer. Je m'étais imaginé une allée bien lisse serpentant entre des pelouses vert concombre, une porte s'ouvrant sur un vestibule, des murs ornés de tableaux paisibles. Une maison comme celles des jeunes mariés blancs dans les films américains qui passaient le samedi soir sur NTA.

Il a allumé la lumière du salon, au milieu duquel trônait un canapé beige, seul et de travers, comme tombé du ciel. Il faisait très chaud ; de vieilles odeurs de renfermé flottaient lourdement dans l'air.

« Je te fais visiter », a-t-il dit.

La petite chambre avait un matelas nu à même le sol dans un coin. La grande chambre avait un lit et une commode, ainsi qu'un téléphone par terre sur la moquette. Malgré cela, ni l'une ni l'autre ne donnaient une sensation d'espace, comme si les murs avaient fini par être gênés d'avoir si peu d'objets entre eux.

« Maintenant que tu es là, on va acheter d'autres meubles. Je n'avais pas besoin de grand-chose tant que j'étais seul, a-t-il dit.

— D'accord », ai-je répondu.

J'étais sonnée. Les dix heures de vol de Lagos à New York et l'attente interminable pendant que la douanière passait ma valise au peigne fin m'avaient laissée sur les rotules, et la tête dans le coton. La douanière avait examiné mes aliments comme si c'étaient des araignées. Elle avait enfoncé ses doigts gantés dans les sacs étanches d'*egusi* pilé, de feuilles d'*onugbu* séchées et de graines d'*uziza*, et fini par confisquer mes graines d'*uziza*. Elle avait peur que je les fasse pousser dans le sol américain. Peu importe si les graines avaient séché des semaines au soleil, si elles étaient dures comme un casque de vélo.

« *Ike agwum*, ai-je dit en posant mon sac à main par terre dans la chambre.

— Oui, moi aussi je suis épuisé, a-t-il dit. On devrait se coucher. »

Dans le lit les draps étaient doux et je me suis roulée en boule, contractée comme le poing d'oncle Ike quand il est en colère, en espérant qu'aucun devoir conjugal n'était attendu de moi. Quelques instants plus tard, je me suis détendue en entendant les ronflements cadencés de mon mari tout neuf. Cela commençait par un grondement de gorge grave pour finir sur une note aiguë, pareille à un sifflement obscène. On ne vous prévenait pas de ce genre de choses, quand on arrangeait votre mariage. Pas un mot sur les ronflements désagréables, pas un mot sur les maisons qui s'avèrent des appartements handicapés de l'ameublement.

Mon mari m'a réveillée en étalant son corps lourd sur le mien. Sa poitrine m'a écrasé les seins.

« Bonjour », ai-je dit, les yeux encore collés par le sommeil. Il a grogné, bruit qui pouvait être une réponse à mon bonjour, ou faire partie du rituel auquel il se livrait. Il s'est soulevé pour retrousser ma chemise de nuit au-dessus de ma taille.

J'ai dit « Attends... », pour pouvoir enlever ma chemise de nuit, pour que ça ne paraisse pas aussi précipité. Mais il avait plaqué sa bouche sur la mienne – voilà autre chose que les marieuses omettent d'évoquer : les bouches qui racontent l'histoire du sommeil, qui collent comme du vieux chewing-gum, qui ont l'odeur des tas d'ordures du marché d'Ogbete. Son souffle s'éraillait quand il bougeait, comme s'il avait les narines trop étroites pour le volume d'air à évacuer. Lorsqu'il a enfin cessé ses coups de butoir, il s'est reposé de tout son poids sur moi, même ses jambes. Je suis restée sans bouger jusqu'à ce qu'il descende d'au-dessus de moi pour aller à la salle de bains.

J'ai tiré sur ma chemise de nuit, l'ai rabattue sur mes hanches.

« Bonjour, *baby* », m'a-t-il dit en revenant dans la chambre. Il m'a tendu le téléphone. « Il faut qu'on appelle ton oncle et ta tante pour leur dire qu'on est bien arrivés. Juste quelques minutes ; c'est presque un dollar la minute pour le Nigeria. Tu composes d'abord le 011, puis 234, puis le numéro.

— *Ezi okwu ?* Tout ça ?

— Oui. Le code pour l'international d'abord, et puis le code national du Nigeria.

— Ah. » J'ai composé les quatorze chiffres. Le poisseux, entre mes jambes, me démangeait.

Les parasites ont crépité sur la ligne téléphonique, s'étirant vers l'autre côté de l'Atlantique. Je savais qu'oncle Ike et tantie Ada parleraient d'une voix chaleureuse, qu'ils me demanderaient ce que j'avais mangé, quel temps il faisait en Amérique. Mais aucune de mes réponses ne serait écoutée ; ils demanderaient pour demander, c'était tout. Oncle Ike sourirait sans doute au téléphone, de ce même sourire qui lui avait détendu le visage lorsqu'il m'avait

annoncé qu'on m'avait trouvé le mari idéal.
De ce sourire que je lui avais vu il y a plusieurs mois, quand les Super Eagles avaient
gagné la médaille d'or de football aux Jeux
olympiques d'Atlanta.

« Un docteur en Amérique, avait-il
dit, rayonnant. Qui dit mieux ? La mère
d'Ofodile lui cherchait une femme, elle avait
très peur qu'il épouse une Américaine. Il
n'est pas rentré au pays depuis onze ans. Je
lui ai donné une photo de toi. Elle est restée un bon moment sans faire signe et j'ai
cru qu'ils avaient trouvé quelqu'un d'autre.
Mais… » Oncle Ike avait laissé sa phrase en
suspens, laissé son sourire s'épanouir.

« Oui, oncle.

— Il sera au pays début juin, avait ajouté
tantie Ada. Vous aurez tout le temps de
faire connaissance avant le mariage.

— Oui, tantie. » Tout le temps, c'était
quinze jours.

« Qu'est-ce que nous n'avons pas fait pour
toi ? Nous t'élevons comme notre propre
enfant et ensuite nous te trouvons un *ezigbo
di* ! Un docteur en Amérique ! C'est comme
si on t'avait décroché le gros lot ! » dit tantie

Ada. Elle avait quelques poils au menton et tirait sur l'un d'eux en parlant.

Je les avais remerciés tous les deux pour tout – m'avoir trouvé un mari, m'avoir prise chez eux, acheté une paire de chaussures neuves un an sur deux. C'était la seule façon de ne pas me faire traiter d'ingrate. Je ne leur ai pas rappelé que j'aurais voulu repasser l'examen du JAMB et me présenter à l'université, que pendant mes années de secondaire, j'avais vendu plus de pain à la boulangerie de tantie Ada que toutes les autres boulangeries d'Enugu, que les meubles et les sols de la maison brillaient grâce à moi.

« Tu as eu la communication ? a demandé mon mari tout neuf.

— C'est occupé », ai-je dit, en tournant la tête pour qu'il ne voie pas à mon expression que j'étais soulagée. J'avais employé le mot « *engaged* » pour « occupé ».

« Les Américains disent "*busy*", pas "*engaged*", a-t-il dit. On réessayera plus tard. Allons prendre le petit déjeuner. »

Pour le petit déjeuner, il a décongelé des pancakes tirés d'un sac jaune vif. J'ai regardé attentivement les boutons qu'il enfonçait sur le micro-ondes blanc, pour bien retenir.

« Fais chauffer de l'eau pour le thé, a-t-il dit.

— Est-ce qu'il y a du lait en poudre ? » ai-je demandé, tout en portant la bouilloire à l'évier. La rouille s'accrochait aux parois de l'évier comme des lambeaux de peinture marron qui s'écaille.

« Les Américains ne mettent pas de lait ni de sucre dans leur thé.

— *Ezi okwu ?* Tu ne bois pas le tien avec du lait et du sucre ?

— Non, je me suis fait aux habitudes d'ici depuis longtemps. Toi aussi, *baby*, tu t'y feras. »

Je me suis assise devant mes pancakes mous – tellement plus minces que les grosses galettes fermes sous la dent que je confectionnais à la maison – et un thé fade que je craignais de ne pouvoir avaler. On a sonné à la porte et il s'est levé. Il marchait en envoyant les mains dans le dos ; je ne l'avais pas vraiment remarqué avant, je n'avais pas eu le temps de le remarquer.

« Je t'ai entendu rentrer hier soir. » La

voix à la porte était américaine, les mots se déversaient rapidement, rentraient les uns dans les autres. *Supri-supri*, disait tantie Ify, vite-vite. « Quand tu reviendras rendre visite, tu parleras *supri-supri* comme Américains », avait-elle dit.

« Salut, Shirley. Merci beaucoup pour mon courrier, a-t-il dit.

— Pas de problème. Comment s'est passé ton mariage ? Est-ce que ta femme est là ?

— Oui, viens dire bonjour. »

Une femme aux cheveux métalliques est entrée dans le salon. Elle était enveloppée d'un peignoir rose noué à la taille. À en juger par les rides qui sillonnaient son visage, elle pouvait avoir n'importe quel âge entre soixante et quatre-vingts ans ; je n'avais pas vu assez de Blancs pour arriver à évaluer leur âge correctement.

« Je suis Shirley, du 3A. Enchantée », a-t-elle dit en me serrant la main. Elle avait la voix nasale de quelqu'un qui combat un rhume.

« Je vous en prie », ai-je répondu.

Shirley a marqué une pause, comme si elle était surprise.

« Bon, je vous laisse à votre petit déjeuner,

a-t-elle dit alors. Je descendrai vous voir
quand vous vous serez installés. »

Elle est sortie en traînant les pieds. Mon
mari tout neuf a fermé la porte. La table
était bancale, de sorte qu'elle a penché
comme une balançoire à bascule quand il
s'est appuyé dessus et m'a dit :

« Tu dois dire "Salut" aux gens, ici, pas
"Je vous en prie".

— On n'a pas le même âge.

— Ça ne marche pas comme ça ici. Tout
le monde dit "Salut".

— *O di mma.* O.K.

— Je ne m'appelle pas Ofodile ici, à propos. Je me fais appeler Dave », a-t-il ajouté,
tout en regardant la pile d'enveloppes que lui
avait données Shirley. Sur beaucoup d'entre
elles, il y avait des lignes écrites sur l'enveloppe elle-même, au-dessus de l'adresse,
comme si l'expéditeur s'était rappelé quelque
chose après avoir scellé l'enveloppe.

« Dave ? » Je savais qu'il n'avait pas de prénom anglais. Les cartons d'invitation à notre
mariage disaient *Ofodile Emeka Udenwa et
Chinaza Agatha Okafor.*

« J'utilise un nom de famille différent, aussi.

Les Américains ont du mal avec Udenwa, alors je l'ai changé.

— En quoi ? » J'en étais encore à tenter de m'habituer à Udenwa, nom que je ne connaissais que depuis quelques semaines.

« En Bell.

— Bell ! » J'avais entendu parler d'un Waturuocha qui avait changé son nom en Waturu en Amérique, d'un Chikelugo qui avait opté pour Chikel, plus facile pour des Américains, mais passer d'Udenwa à Bell ? « Ça n'a aucun rapport avec Udenwa », ai-je dit.

Il s'est levé.

« Tu ne comprends pas comment ça marche dans ce pays. Si tu veux arriver à quoi que ce soit, tu dois te fondre dans la masse au maximum. Sinon, tu restes sur le carreau. Il faut que tu te serves de ton nom anglais ici.

— Je ne l'ai jamais fait, mon nom anglais est juste un truc sur mon certificat de naissance. Je me suis toujours appelée Chinaza Okafor.

— Tu t'y feras, *baby*, a-t-il dit en tendant la main pour me caresser la joue. Tu verras. »

Le lendemain, lorsqu'il a rempli une demande de numéro de sécurité sociale pour moi, le nom qu'il a inscrit en caractères gras était AGATHA BELL.

Notre quartier s'appelait Flatbush, m'a expliqué mon mari tout neuf pendant que nous descendions, en sueur et en pleine chaleur, une rue bruyante qui sentait le poisson resté trop longtemps dehors avant le frigo. Il voulait me montrer comment faire les courses et prendre le bus.

« Regarde autour de toi, ne baisse pas les yeux comme ça. Regarde autour de toi, comme ça tu t'habitueras plus vite », dit-il.

Je me suis mise à tourner la tête d'un côté et de l'autre pour lui montrer que je suivais ses conseils. Une vitrine de restaurant obscure promettait LA MEILLEURE CUISINE DES CARAÏBES ET D'AMÉRIQUE en lettres de guingois ; de l'autre côté de la rue, un portique annonçait des lavages de voiture à 3,50 $ sur un tableau noir niché entre des boîtes de Coca et des bouts de papier. Le bord du trottoir était ébréché, comme grignoté par des souris.

À l'intérieur de l'autobus climatisé, il m'a montré où mettre les pièces de monnaie, et comment appuyer sur le ruban contre la paroi pour demander l'arrêt.

« C'est pas comme au Nigeria, où tu préviens le receveur en criant », a-t-il dit, l'air dédaigneux comme si c'était lui qui avait inventé ce système américain si remarquable.

Au Key Food, nous avons parcouru les allées lentement. Quand je l'ai vu mettre un paquet de bœuf dans le caddie, ça ne m'a pas inspiré confiance. J'aurais voulu pouvoir toucher la viande, vérifier qu'elle était bien rouge, comme je le faisais souvent au marché d'Ogbete, où le boucher exhibait des morceaux fraîchement découpés en soulevant des nuages de mouches.

« Est-ce qu'on peut acheter ces biscuits ? » Les paquets bleus de Burton's Rich Tea m'étaient familiers ; je n'avais pas envie de manger des biscuits, juste de voir quelque chose de familier dans le caddie.

« Ces cookies. Les Américains disent cookies. »

J'ai tendu la main vers les biscuits (les cookies).

« Prends les génériques. Ils sont moins chers et c'est la même chose, a-t-il dit en montrant un paquet blanc du doigt.

— D'accord. » Je n'avais plus envie des biscuits, mais j'ai mis le paquet générique dans le caddie et j'ai fixé des yeux le paquet bleu sur l'étagère, avec le logo de grains en relief si familier de Burton, jusqu'au moment où on a quitté l'allée.

« Lorsque je serai médecin traitant, on arrêtera d'acheter des génériques, mais pour le moment on est obligés ; ça n'a pas l'air cher, tous ces trucs, mais ça finit par chiffrer.

— Quand tu seras médecin d'hôpital ?

— Oui, mais ça s'appelle médecin traitant, ici. Médecin traitant à l'hôpital. »

Tout ce que vous disaient les marieuses, c'était que les docteurs gagnaient beaucoup d'argent en Amérique. Elles n'ajoutaient pas qu'avant de gagner beaucoup d'argent, les docteurs devaient faire un internat et un résidanat, que mon mari tout neuf n'avait pas terminés. Mon mari tout neuf me l'avait expliqué pendant notre brève conversation à bord, juste après le décollage de Lagos, avant de s'endormir.

« Les internes sont payés vingt-huit mille dollars par an mais ils font environ quatre-vingts heures par semaine. Ça fait du trois dollars de l'heure, avait-il dit. Tu te rends compte ? Trois dollars de l'heure ! »

Je ne savais pas si trois dollars de l'heure, c'était très bien ou très peu – j'ai opté pour très bien, jusqu'à ce qu'il ajoute que même les lycéens qui travaillaient à temps partiel gagnaient beaucoup plus.

« Et aussi, quand je serai médecin traitant, on n'habitera pas dans un quartier comme ça », a dit mon mari tout neuf. Il s'est arrêté pour laisser passer une femme qui avait perché son gamin sur son caddie. « Tu vois les barreaux qu'ils mettent pour empêcher qu'on sorte les caddies dans la rue ? Dans les bons quartiers, il n'y en a pas. Tu peux emporter ton caddie jusqu'à ta voiture.

— Ah », ai-je fait. Quelle importance, qu'on puisse sortir les caddies ou non ? Ce qui comptait, c'était qu'il y avait des caddies.

« Regarde les gens qui font leurs courses ici, ce sont ces gens-là qui immigrent et continuent de vivre comme s'ils étaient encore dans leur pays. » Il a eu un geste dédaigneux pour une femme et ses deux enfants, qui parlaient en espagnol. « Ils n'avanceront jamais, s'ils ne s'adaptent pas à l'Amérique. Ils seront éternellement condamnés à ce genre de supermarché. »

J'ai murmuré quelques mots pour montrer que j'écoutais. J'ai repensé au marché de plein air d'Enugu, avec ses commerçants qui baratinaient le chaland pour le convaincre de s'arrêter à leurs échoppes couvertes de zinc, qui étaient prêts à marchander toute la journée pour augmenter le prix d'un seul kobo. Ils vous emballaient vos achats dans des sacs plastique quand ils en avaient, et sinon, ils vous offraient de vieux journaux en riant.

Mon mari tout neuf m'a conduite au centre commercial ; il voulait me montrer le maximum de choses avant de reprendre son travail le lundi. Sa voiture tintinnabulait en roulant, comme si de nombreuses pièces étaient desserrées – un bruit de boîte de clous qu'on secoue. Elle a calé à un feu rouge et il a dû tourner la clé plusieurs fois pour redémarrer.

« J'achèterai une nouvelle voiture après mon résidanat », a-t-il dit.

À l'intérieur du centre commercial, les sols reluisaient, lisses comme des glaçons, et le plafond haut comme le ciel clignotait d'une myriade de lumières frêles et minuscules. J'avais l'impression d'être dans un autre univers physique, sur une autre planète. Les gens qui nous bousculaient, même les Noirs, portaient sur le visage la marque de la différence, de l'altérité.

« On va prendre une pizza d'abord, a-t-il dit. C'est vraiment une chose qu'il faut aimer, en Amérique. »

Nous sommes allés au stand de pizzas, tenu par un homme qui avait un anneau dans le nez et un haut chapeau blanc.

« Deux pepperonis et saucisse. C'est plus intéressant si on prend la formule ? » a demandé mon mari tout neuf. Il parlait dif-féremment quand il s'adressait à des Amé-ricains : ses *r* étaient exagérés et ses *t* trop atténués. Et il souriait, du sourire enthou-siaste de la personne qui veut plaire.

Nous avons mangé la pizza à une petite table ronde dans ce qu'il appelait « l'aire de restauration ». Un océan de gens assis à des tables rondes, penchés sur des assiettes en carton pleines d'aliments gras. Oncle Ike aurait été horrifié à l'idée de manger là ; il avait un titre et ne mangeait même pas aux mariages, à moins d'être servi dans une pièce privée. Il y avait quelque chose d'humiliant dans cet endroit, ce vaste espace où trop de tables et de nourriture s'étalaient en public, ça manquait de dignité.

« Elle te plaît, la pizza ? » m'a demandé mon mari tout neuf. Son assiette en carton était vide.

« Les tomates ne sont pas bien cuites.

— Nous faisons trop cuire les aliments au pays et c'est pour ça que nous perdons tous les nutriments. Les Américains font cuire comme il faut. Tu vois comme ils ont tous l'air en bonne santé ? »

J'ai hoché la tête et regardé autour de moi. À la table d'à côté, une Noire au corps aussi large qu'un oreiller placé de côté m'a souri. Je lui ai rendu son sourire et j'ai pris une autre bouchée de pizza, en contractant le ventre pour ne pas rendre.

Après, nous sommes allés chez Macy's.

Mon mari tout neuf m'a emmenée vers un escalier roulant ; ce dernier avait un mouvement élastique et souple et j'ai tout de suite vu que je tomberais dès que j'y mettrais les pieds.

« *Biko*, il n'y a pas un ascenseur, à la place ? » ai-je demandé. Au moins avais-je déjà pris une fois l'ascenseur grinçant du bureau de l'administration locale, celui qui tremblait une minute entière avant que les portes s'ouvrent.

« Parle anglais, il y a des gens derrière nous, a-t-il chuchoté en m'entraînant à l'écart, vers une vitrine de bijoux étincelants. Ascenseur, ça se dit *elevator* en Amérique, pas *lift*.

— D'accord. »

Il m'a emmenée à l'ascenseur – *elevator*, pas *lift* – et nous sommes allés à un rayon où s'alignaient des rangées de gros manteaux lourds. Il m'en a acheté un terne comme un jour sans soleil, à la doublure rembourrée de mousse, m'a-t-il semblé au toucher. Le manteau m'a paru assez grand pour en loger confortablement deux comme moi.

« L'hiver approche, a-t-il dit. C'est comme

si tu étais dans un congélo, alors il te faut
un manteau chaud.

— Merci.

— Ça vaut toujours mieux de faire ses
achats pendant les soldes. Quelquefois, tu
trouves des choses à moins que moitié prix.
Ça fait partie des merveilles de l'Amérique.

— *Ezi okwu ?* ai-je dit, m'empressant
d'ajouter : Vraiment ?

— Viens, on va se promener dans le centre
commercial. Il y a quelques-unes des autres
merveilles de l'Amérique ici. »

On a marché, et fait des magasins qui ven-
daient des vêtements, des outils, de la vais-
selle, des livres et des téléphones, jusqu'à ce
que j'en aie mal à la plante des pieds.

Avant de partir, il m'a emmenée au
McDonald's. Le restaurant était niché
dans le fond de la galerie ; un M jaune et
rouge de la taille d'une voiture se dressait
à l'entrée. Sans regarder le menu qui était
suspendu, mon mari a commandé deux
double cheese.

« On pourrait rentrer à la maison, je
pourrais cuisiner », ai-je dit. Tantie Ada
m'avait mise en garde : « Ne laisse pas ton

mari manger dehors trop souvent, sinon ça le poussera dans les bras d'une femme qui cuisine. Surveille toujours ton mari comme un œuf de pintade. »

« J'aime bien manger ça une fois de temps en temps », a-t-il dit. Il tenait le hamburger à deux mains et mastiquait avec une concentration qui lui faisait froncer les sourcils et crisper la mâchoire, ce qui lui donnait encore plus l'air d'un inconnu.

Le lundi j'ai préparé un riz coco, pour contrebalancer les repas pris dehors. J'aurais voulu faire du pépé-soupe, aussi, de celui qui, d'après tantie Ada, attendrit le cœur des hommes. Mais il m'aurait fallu les graines d'*uziza* que la douanière avait confisquées ; pas de pépé-soupe digne de ce nom sans *uziza*. J'ai acheté une noix de coco chez le Jamaïcain du bout de la rue et j'ai passé une heure à la découper en tout petits morceaux, parce qu'il n'y avait pas de râpe, ensuite je l'ai fait tremper dans de l'eau chaude pour en extraire le jus. Je venais de finir de cuisiner quand il est rentré. Il portait une sorte d'uniforme, un haut bleu qui avait l'air d'une blouse de fille, rentré dans un pantalon bleu noué à la taille.

« *Nno*, ai-je dit. Tu as bien travaillé ?

— Il faut que tu parles anglais à la maison aussi, *baby*. Pour t'habituer. » Il m'a effleuré la joue du bout des lèvres, et à ce moment-là la porte a sonné. C'était Shirley, enveloppée du même peignoir rose.

« Cette odeur, a-t-elle dit de sa voix enrhumée. Ça embaume dans tout l'immeuble. Qu'est-ce que vous cuisinez ?

— Du riz coco, ai-je répondu.

— Une recette de votre pays ?

— Oui.

— Ça sent vraiment bon. Notre problème, ici, c'est que nous n'avons pas de culture, pas de culture du tout. » Elle s'est tournée vers mon mari tout neuf, comme si elle cherchait son accord, mais il s'est contenté de sourire. « Tu peux venir jeter un coup d'œil à mon climatiseur, Dave ? a-t-elle ajouté. Il me joue encore des tours et il fait tellement chaud, aujourd'hui.

— Bien sûr », a dit mon mari tout neuf.

Au moment où ils partaient, Shirley m'a fait signe de la main en disant : « Ça sent *vraiment* bon », et j'ai eu envie de l'inviter à prendre un peu de riz. Mon mari tout neuf est revenu une demi-heure plus tard et il a mangé le plat parfumé que j'ai déposé devant lui, en faisant même claquer ses lèvres, comme le faisait parfois oncle Ike pour montrer à tantie Ada combien il appréciait sa cuisine. Mais le lendemain, il est revenu avec un exemplaire de *Good Housekeeping – The All-American Cookbook*, gros comme une Bible.

« Je ne veux pas qu'on soit connus comme les voisins qui remplissent l'immeuble d'odeurs de cuisine étrangère », m'a-t-il dit.

J'ai pris le manuel de la parfaite ménagère américaine et passé la main sur la couverture, sur une image qui ressemblait à une fleur mais qui devait être un plat.

« Je sais que la cuisine américaine n'aura bientôt plus de secrets pour toi », a-t-il ajouté en m'attirant doucement contre lui. Cette nuit-là, j'ai pensé au livre de cuisine pendant qu'il grognait et ahanait, allongé lourdement sur moi. Une autre chose que les marieuses ne vous disent pas : le combat que c'est, de colorer du bœuf à l'huile et de fariner du poulet sans sa peau. J'avais toujours fait cuire le bœuf dans ses sucs. Quant au poulet, je l'avais toujours poché sans toucher à sa peau. Les jours suivants, je me suis trouvée bien contente que mon mari quitte la maison pour son travail à six heures du matin et n'en revienne qu'après huit heures du soir ; ça me laissait le temps de jeter les morceaux de poulet collants et à moitié cuits, et de recommencer.

La première fois que j'ai vu Nia, qui habitait au 2D, je me suis dit que c'était le genre de femme que tantie Ada aurait désapprouvée. Tantie Ada l'aurait traitée d'*ashawo*, à cause de son haut transparent qui laissait entrevoir un soutien-gorge d'une couleur qui n'était pas assortie. À moins que tantie Ada n'ait jugé que Nia était une prostituée en raison de son rouge à lèvres orange brillant et du fard, du même ton que le rouge à lèvres, étalé sur ses paupières lourdes.

« Salut, m'a-t-elle dit quand je suis descendue prendre le courrier. Tu es la femme de Dave. Je voulais venir te dire bonjour. Je m'appelle Nia.

— Merci. Je m'appelle Chinaza… Agatha. »

Nia m'observait avec attention.

« Qu'est-ce que tu as dit en premier ?

— Mon nom nigérian.

— C'est un nom ibo, n'est-ce pas ? » Elle prononçait « i-bou ».

« Oui.

— Qu'est-ce que ça veut dire ?

— Dieu exauce les prières.

— C'est vraiment joli. Tu sais, Nia est un nom swahili. J'ai changé de prénom à dix-huit ans. J'ai passé trois ans en Tanzanie. Putain, c'était puissant.

— Ah », ai-je dit en secouant la tête. Elle qui était noire américaine s'était choisi un nom africain, alors que mon mari me faisait prendre un nom anglais.

« Tu dois crever d'ennui dans cet appart, je sais que Dave rentre assez tard, a-t-elle dit. Viens prendre un Coca chez moi. »

J'ai hésité, mais Nia se dirigeait déjà vers l'escalier. Je l'ai suivie. Son living-room était d'une élégance sobre : un canapé rouge, une plante verte élancée, un immense masque en bois accroché au mur. Elle m'a offert un Coca light dans un grand verre avec des gla-çons, m'a demandé comment je m'adaptais à la vie en Amérique, m'a proposé de me faire visiter Brooklyn.

« Mais il faudrait que ce soit un lundi, je ne travaille pas le lundi.

— Qu'est-ce que tu fais ?

— J'ai un salon de coiffure.

— Tu as des cheveux superbes », lui ai-je dit.

Elle les a touchés en disant « Oh, ça », comme si elle n'y attachait pas d'importance. Mais ce n'était pas seulement ses cheveux, relevés en touffe afro naturelle, que je trouvais beaux, c'était aussi sa peau couleur de cacahouètes grillées, ses yeux mystérieux aux paupières lourdes, ses hanches rondes. Elle avait mis la musique un peu trop fort, ce qui nous obligeait à hausser la voix.

« Tu sais, a-t-elle repris, ma sœur est gérante chez Macy's. Ils embauchent des vendeurs non qualifiés au rayon femmes, alors si ça t'intéresse, je peux lui en toucher un mot et c'est presque comme si c'était fait. Elle me doit un service. »

J'ai senti quelque chose bondir à l'intérieur de moi à la pensée, cette pensée nouvelle

et soudaine, de gains qui seraient à moi.
À moi.

« Je n'ai pas encore mon permis de travail,
ai-je dit.

— Mais Dave a fait la demande pour toi ?

— Oui.

— Ça ne devrait pas prendre très longtemps ; tu devrais l'avoir avant l'hiver, en
tout cas. J'ai une amie d'Haïti qui vient de
recevoir le sien. Tiens-moi au courant dès
que tu l'auras.

— Merci. » J'avais envie d'embrasser Nia.
« Merci. »

Ce soir-là, j'ai parlé de Nia à mon mari
tout neuf. Il avait les yeux creusés par la
fatigue, après tant d'heures de boulot, et il a
dit « Nia ? » comme s'il ne savait pas de qui
je parlais, avant d'ajouter : « Elle est sympa,
mais fais attention parce qu'elle peut avoir
une mauvaise influence. »

Nia a pris l'habitude de passer me voir en
rentrant du travail, une cannette de Coca
light à la main, qu'elle buvait en me regardant cuisiner. Je coupais la clim et j'ouvrais
la fenêtre pour laisser entrer l'air chaud et
lui permettre de fumer. Elle me parlait des

femmes qui venaient à son salon de coiffure et des hommes avec qui elle sortait.
Elle émaillait sa conversation quotidienne
de mots tels que le substantif « clitoris » et le
verbe « baiser ». J'aimais l'écouter. J'aimais
son sourire qui découvrait une dent impec-
cablement cassée, privée d'un triangle bien
net au bord. Elle partait toujours avant le
retour à la maison de mon mari tout neuf.

L'hiver m'a prise par surprise. Un matin,
je suis sortie de l'immeuble et j'en suis restée bouche bée. On aurait dit que Dieu
déchiquetait des mouchoirs en papier blancs
et jetait les confettis d'en haut. Je suis restée debout à regarder ma première neige,
les flocons qui tourbillonnaient, pendant
un long, long moment, avant de retour-
ner à l'appartement. J'ai récuré le sol de la
cuisine une seconde fois, découpé d'autres
bons dans le catalogue Key Food que nous
recevions par le courrier, et je suis allée
m'asseoir près de la fenêtre pour regarder
la frénésie croissante des déchiquetages de
Dieu. L'hiver était arrivé et j'étais toujours
sans emploi. Ce soir-là, quand mon mari est

rentré, j'ai déposé devant lui son assiette de poulet pané et de frites et je lui ai dit : « Je pensais que j'aurais déjà reçu mon permis de travail, à la date d'aujourd'hui. »

Il a mangé quelques-unes de ses frites huileuses avant de répondre. Nous ne parlions plus que l'anglais entre nous, à présent ; il ignorait que je parlais ibo toute seule quand je faisais la cuisine et que j'avais appris à Nia à dire « J'ai faim » et « À demain » en ibo.

« L'Américaine que j'ai épousée pour avoir ma carte verte me fait des ennuis », a-t-il dit. Puis il a déchiré lentement un morceau de poulet en deux. Il avait des poches sous les yeux. « Notre divorce était presque prononcé, mais pas complètement, quand je t'ai épousée au Nigeria. Juste un détail, seulement elle l'a appris et maintenant elle menace de me dénoncer à l'Immigration. Elle réclame plus d'argent.

— Tu as été marié ? » J'ai entrelacé les doigts car mes mains s'étaient mises à trembler.

« Tu me passes ça, s'il te plaît ? a-t-il dit

en montrant le citron pressé que j'avais préparé plus tôt.

— La carafe ?

— La cruche. Les Américains disent cruche, pas carafe. »

J'ai poussé la carafe (la cruche) dans sa direction. Le martèlement qui vibrait dans ma tête était fort, il remplissait mes oreilles d'un liquide brûlant.

« Tu as été marié ?

— Juste sur le papier. On est beaucoup de Nigérians à faire ça, ici. C'est une transaction ; tu paies la femme et vous faites les papiers ensemble, mais il arrive que ça se passe mal et qu'elle refuse de divorcer ou décide de te faire chanter. »

J'ai tiré vers moi le tas de bons d'achat et je me suis mise à les déchirer en deux, l'un après l'autre.

« Ofodile, tu aurais dû m'en informer plus tôt.

— J'allais te le dire, a-t-il fait en haussant les épaules.

— Je méritais de le savoir avant qu'on se marie. » Je me suis enfoncée dans la chaise en face de lui, lentement, comme si elle allait casser si je ne le faisais pas.

« Ça n'aurait rien changé. Ton oncle et ta tante avaient déjà décidé. Tu allais dire non à des gens qui se sont occupés de toi depuis la mort de tes parents ? »

Je l'ai dévisagé en silence, tout en déchiquetant les bons en morceaux de plus en plus petits ; des images fragmentées de détergents, de paquets de viande et d'essuie-tout tombaient par terre.

« En plus, vu la pagaille qui règne au pays, qu'est-ce que tu aurais fait ? a-t-il demandé. Vrai ou faux qu'il y a des gens qui ont des masters et qui battent le pavé sans boulot ? » Il parlait d'une voix blanche.

« Pourquoi m'as-tu épousée ? ai-je demandé.

— Je voulais une femme nigériane et ma mère m'a dit que tu étais une brave fille, une fille calme. Elle m'a dit que tu étais peut-être même vierge. » Il a souri. Il avait l'air encore plus fatigué quand il souriait. « Je devrais sans doute lui dire ô combien elle se trompait. »

J'ai jeté d'autres bons d'achat par terre,

serré fort les mains et enfoncé les ongles dans ma peau.

« J'ai été content quand j'ai vu ta photo, a-t-il ajouté en faisant claquer ses lèvres. Tu avais la peau claire. Il fallait que je pense au physique de mes enfants. Les Noirs à la peau claire s'en sortent mieux en Amérique. »

Je l'ai regardé manger le reste de son poulet pané et j'ai remarqué qu'il n'attendait pas d'avoir fini de mastiquer pour boire son eau.

Ce soir-là, pendant qu'il prenait sa douche, j'ai mis seulement les vêtements qu'il ne m'avait pas achetés, deux boubous brodés et un caftan, tous trois hérités de tantie Ada, dans la valise en plastique que j'avais apportée du Nigeria, et je suis allée chez Nia.

Nia m'a fait du thé, avec du lait et du sucre, et s'est assise avec moi à sa table ronde, entourée de trois tabourets hauts.

« Si tu veux appeler ta famille au pays, tu peux le faire d'ici. Reste aussi longtemps que tu veux au téléphone, je demanderai un paiement échelonné à Bell Atlantic.

— Je n'ai personne à qui parler au pays »,

ai-je dit en fixant le visage en forme de poire de la sculpture sur l'étagère en bois. Ses yeux creux me rendaient mon regard.

« Et ta tante ? » a demandé Nia.

J'ai secoué la tête. Tu as quitté ton mari ? hurlerait tantie Ada. Tu es folle ou quoi ? Est-ce qu'on jette un œuf de pintade ? Sais-tu combien de femmes donneraient leurs deux yeux pour un docteur en Amérique ? Pour n'importe quel mari ? Et oncle Ike s'emporterait contre mon ingratitude et ma stupidité, le poing et le visage contractés, avant de lâcher le combiné.

« Il aurait dû t'avertir pour le mariage, mais ce n'était pas un vrai mariage, Chinaza, a dit Nia. J'ai lu dans un livre qu'on ne tombe pas amoureux, on "monte en amour". Peut-être que si tu laissais le temps au temps…

— Il ne s'agit pas de ça.

— Je sais, a dit Nia en soupirant. J'essayais juste d'être positive, là, tu vois. Tu avais quelqu'un au Nigeria ?

— J'ai eu quelqu'un, mais il était trop jeune et il n'avait pas d'argent.

— Putain, ça craint. »

J'ai remué mon thé qui n'en avait pourtant pas besoin.

« Je me demande pourquoi mon mari avait besoin de se trouver une femme au Nigeria.

— Tu ne dis jamais son nom, tu ne dis jamais Dave. C'est un truc culturel ?

— Non. » J'ai baissé le regard sur le set de table en tissu imperméabilisé. J'avais envie de dire que c'était parce que je ne connaissais pas son nom, que je ne le connaissais pas.

« Est-ce que tu as rencontré la femme qu'il avait épousée ? Ou est-ce que tu n'as connu aucune de ses copines ? » ai-je demandé.

Nia a détourné la tête. Le genre de mouvement de tête théâtral qui en dit long, du moins qui veut en dire long. Le silence s'est installé entre nous.

« Nia ? ai-je fini par demander.

— Je me le suis fait, il y a presque deux ans, quand il a emménagé ici. Je me le suis fait et au bout d'une semaine c'était fini. On n'est jamais sortis ensemble. Je ne lui ai jamais vu de copine.

— Ah. » J'ai bu quelques gorgées de mon thé au lait sucré.

« Il fallait que je sois franche avec toi, que je déballe tout.

— Oui. » Je me suis levée pour regarder par la fenêtre. Dehors, le monde semblait momifié sous un drap de blancheur morte. Il y avait sur les trottoirs des tas de neige hauts comme des enfants de six ans.

« Tu peux attendre d'avoir tes papiers et ensuite tu te casses, a dit Nia. Tu peux demander des allocations le temps de t'organiser, et ensuite, tu te trouves un boulot et un appart, tu gagnes ta vie, tu recommences à zéro. On est aux États-Unis d'Amérique, bordel de Dieu ! »

Nia m'a rejointe près de la fenêtre. Elle avait raison. Je ne pouvais pas encore partir. Le lendemain soir, j'ai retraversé le couloir dans l'autre sens. J'ai sonné à la porte et il a ouvert, s'est écarté et m'a laissée passer.

*Pour prolonger votre réflexion et découvrir
ou redécouvrir de grands auteurs
sur la question du féminisme :*

### MADAME DE LAFAYETTE,
*Histoire de la princesse de Montpensier
et autres nouvelles*

Madame de Lafayette (1634-1693), auteur du célèbre roman *La Princesse de Clèves*, ainsi que de mémoires et de nouvelles historiques, est une grande figure littéraire de son temps. Dans une société où les femmes sont soumises à un regard social sévère, hommes et femmes ne sont pas égaux devant la passion, qui détruira la princesse de Montpensier.

*Édition établie et présentée par Martine Reid, Folio 2 € n° 4876.*

★

### DENIS DIDEROT,
*Sur les femmes et autres textes*

Artisan, avec son ami d'Alembert, du projet de *L'Encyclopédie*, philosophe, romancier, conteur, Diderot, en homme des Lumières, se montre aussi dans les textes réunis ici un ardent défenseur de la cause des femmes et milite en faveur de leur éducation et de leur émancipation.

*Édition d'André Billy et Michel Delon, Folio 2 € n° 5637.*

★

### OLYMPE DE GOUGES,
*« Femme, réveille-toi ! »
Déclaration des droits de la femme
et de la citoyenne et autres écrits*

Olympe de Gouges (1748-1793) est l'une des grandes voix féminines de la Révolution française. Retrouvez dans ce recueil le ton résolument frondeur, la langue énergique, le propos engagé d'Olympe de Gouges.

*Édition établie et présentée par Martine Reid, Folio 2 € n° 5721.*

★

### GEORGE SAND,
#### *Pauline*

Aurore Dupin (1804-1876), plus connue sous le pseudonyme de George Sand, est une figure centrale de la littérature du XIX<sup>e</sup> siècle. Elle a activement travaillé à la diffusion d'idées où le progrès, la liberté, l'égalité et la justice le disputent à la place des femmes dans une société qu'elle souhaite entièrement renouvelée : dans *Pauline*, Sand brosse les portraits tout en contrastes de deux amies – Laurence, généreuse, émancipée par sa réussite en tant que comédienne à Paris, l'autre, Pauline, aigrie et triste, engluée dans les conventions sociales de sa petite ville de province.

*Édition établie et présentée par Martine Reid, Folio 2 € n° 4522.*

★

### SIMONE DE BEAUVOIR,
#### *La Femme indépendante*
#### (extraits du *Deuxième sexe*)

Agrégée de philosophie, unie à Jean-Paul Sartre par un long compagnonnage affectif et intellectuel, Simone de Beauvoir (1908-1986) publie son premier roman, *L'Invitée*, à l'âge de trente-cinq ans. Paru en 1949, *Le Deuxième Sexe*, dont on trouvera ici quelques pages marquantes, fit d'elle l'une des grandes figures du féminisme du XX<sup>e</sup> siècle et lui assura une renommée internationale qui marqua durablement sa carrière d'écrivain.

*Édition établie et présentée par Martine Reid, Folio 2 € n° 4669.*

*Composition Cmb graphic*
*Impression Novoprint*
*à Barcelone, le 22 janvier 2015*
*Dépôt légal : janvier 2015*

ISBN 978-2-07-046458-6./Imprimé en Espagne.